LAISSEZ-MOI MON DRAGON

Jackie French KOLLER

Laissez-moi mon dragon

Traduit de l'américain par
Sylviane Lamoine

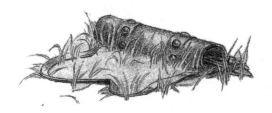

Illustrations de Judith Mitchell

POCKET
jeunesse

Titre original :
A Dragon in the Family

Publié pour la première fois en 1993
par Springboard Books, USA.

Loi n° 49-956 du 16 juillet 1949 sur les publications destinées
à la jeunesse : avril 1998.

ISBN 2-266-09506-4

*Pour Bobby, qui combat les dragons
à crocs rouges avec une épée de courage
et un bouclier d'amour.*

CHAPITRE PREMIER

Assis en face de son père de l'autre côté du feu de camp, Alex mâchonnait sa nourriture sans vraiment la goûter. Trois jours s'étaient écoulés depuis leur affrontement dans la vallée des Dragons, et son père ne lui avait toujours pas adressé la parole. Allait-il changer d'attitude demain, quand ils arriveraient au village avec le reste de l'expédition ? Il jeta un coup d'œil à sa mère et à son frère Yann, qui lui adressèrent un petit sourire rassurant. Il faut du temps pour évoluer, ne cessait de lui répéter sa mère. « Combien de temps ? » se demandait Alex. Il avait hâte de voir à nouveau amour et fierté dans les yeux d'Erik, son père.

Un cri éploré leur parvint de la pénombre.

— *Rrronk.*

Le père d'Alex leva les yeux de son repas et fronça les sourcils.

— Je vais le calmer, dit l'enfant en se levant d'un bond.

Il alluma une torche et se fraya un chemin dans la forêt jusqu'à l'endroit où le dragonnet était attaché. Il vit ses yeux verts briller dans la nuit avant qu'il parvienne à distinguer la petite forme recroquevillée sous un zanandier[1].

— *Rrronk, rrronk.*

— Tout va bien, Zantor, dit Alex doucement.

— *Grrumm*, chantonna joyeusement le dragonnet en entendant la voix de son ami.

Il tira sur la chaîne qui le maintenait solidement.

Alex planta sa torche dans le sol et s'empressa de détacher le collier. Les efforts du bébé dragon pour se libérer avaient arraché

---

1. Cette histoire se passe à Zoriak, un pays imaginaire. On y trouve toutes sortes de plantes et d'animaux inconnus de nous. Le zanandier est un arbre de Zoriak. *(N.d.T.)*

les tendres écailles bleues et mis la chair à vif à cet endroit.

— Je suis désolé, Zantor, murmura Alex en caressant la petite tête maigre, mais c'est papa qui veut. Il a encore du mal à te faire confiance. Pourtant, je n'arrête pas de lui dire que tu n'es pas dangereux pour les yacks ou les autres animaux.

Zantor poussa Alex du museau et l'enfant sourit.

— Viens, mon petit copain. On va te chercher à manger.

Il prit sa torche et éclaira le chemin tandis que la créature voletait et dansait autour de lui, heureuse d'être libre. Ils tombèrent sur un buisson de barlisiers[1] et Alex s'assit sur un rocher pour regarder Zantor manger goulûment.

Cela semblait si étrange d'être ami avec un dragon que parfois le petit garçon devait se pincer pour y croire. Il se rappelait sa surprise cette nuit-là, après la dernière chasse,

---

1. Arbuste de Zoriak, qui donne des baies, les barlises. *(N.d.T.)*

quand il avait trouvé le nouveau-né dans la poche de sa mère morte. Il n'avait pas su quoi faire. Mais aujourd'hui, en regardant le petit dragon, Alex comprenait qu'il avait pris la bonne décision. Ramener Zantor dans sa vallée l'avait conduit à faire une importante découverte. Les dragons, qu'on lui avait appris à haïr et à redouter depuis toujours, ne devaient pas être jugés sur leur apparence. Ils n'étaient féroces que s'ils se sentaient menacés, et n'aspiraient qu'à vivre en paix.

Quand Alex avait annoncé cette nouvelle aux membres de l'expédition qui était partie à sa recherche, les femmes l'avaient bien accueillie : leurs fils ne mourraient plus dans les chasses rituelles aux dragons. Mais les hommes avaient eu plus de mal à l'accepter. C'est Vania, dont le fils Ivan avait été tué au cours de la dernière chasse, qui avait réussi à les convaincre.

Zantor s'approcha en traînant les pattes et laissa tomber une poignée de barlises sur les genoux d'Alex. Celui-ci sourit et caressa le bébé dragon sous le menton.

— Je n'arrive toujours pas à croire que papa veuille bien qu'on te ramène au village, murmura-t-il. Remarque, quand Vania et Elsa ont proposé de te prendre avec eux, alors qu'ils savent que ta mère a tué leur fils, il a bien été obligé d'accepter.

Le dragonnet se blottit contre la jambe d'Alex, qui prit une baie sur ses genoux et la mastiqua pensivement. Il se demandait si son père était encore fâché. Les autres villageois de l'expédition semblaient avoir compris les avantages d'une paix avec les dragons. Il n'y aurait plus de combats, plus de morts. Les dragons et les Zorians [1] pourraient s'entraider de nombreuses façons. Et, ce qui était le plus formidable, les dragons pourraient faire voler les Zorians ! Les yeux d'Alex brillèrent au souvenir de son propre voyage aérien dans la poche d'une Grande Bleue.

Puis, aussi vite qu'il avait éprouvé de la joie, Alex connut à nouveau l'inquiétude. Son père était Chef Archer, un homme important dans le village, qui allait bientôt rejoindre le Conseil des anciens. Que se passerait-il si les anciens étaient d'accord avec lui ? S'ils accu-

1. Habitants de Zoriak. *(N.d.T.)*

saient Alex de trahison ? La trahison était un crime grave.

Un crime ! Le petit garçon se redressa soudain, les yeux écarquillés, le cœur battant. Pas étonnant que son père soit si contrarié, Alex le comprenait maintenant. Tout à la pensée du dragonnet, il n'avait pas réfléchi à cela. À Zoriak, lorsqu'un enfant de moins de douze ans commet un crime, c'est son père qui doit être puni. Et Alex n'avait que neuf ans ! Un poids lui écrasa la poitrine. Il avait beau aimer tendrement le petit dragon, il aimait encore plus son père. Il ne voulait surtout pas lui causer d'ennuis.

Alex entendit un léger *floupa poup poup poup, floupa poup poup poup*. Le dragon s'était roulé en boule et ronflait doucement, le menton posé sur le pied d'Alex. Le cœur du petit garçon était écartelé, comme une corde que l'on tire d'un côté, puis de l'autre, jusqu'à ce qu'elle lâche.

— Pourquoi mon frère a-t-il tué ta mère ? murmura-t-il au dragon endormi. Pourquoi ta mère a-t-elle tué Ivan ?

— *Floupa poup poup poup*, fut la seule réaction du dragon.

Mais, en levant les yeux vers le ciel nocturne, Alex découvrit la réponse dans les étoiles froides et silencieuses. Les tueries étaient vieilles comme le monde, et, s'il n'intervenait pas, elles continueraient jusqu'à la fin des temps…

CHAPITRE II

L'expédition se trouvait encore à quelque distance des habitations quand Alex entendit sonner la cloche du village. Le guetteur les avait repérés. Lorsqu'ils atteignirent le fond du défilé, la place était noire de monde.

— Hourra ! crièrent les villageois en apercevant l'enfant. Ils l'ont retrouvé ! Il va bien !

Mais les cris de joie s'arrêtèrent net, remplacés par la stupeur et les exclamations de surprise des habitants.

— Un dragonnet ! Il a ramené un dragon !

Alex raccourcit la chaîne de Zantor, pour le tenir bien serré. La foule et le bruit rendaient le dragon ombrageux et Alex ne voulait pas d'ennuis. À ses côtés, le regard fixe et le visage impénétrable, son père semblait déjà assez en colère comme cela ! Alex aurait donné cher pour connaître ses pensées, et le sort qui les attendait tous.

— Alex ! Alex !

Il se retourna en entendant la voix familière.

— Nicolas ? Nico ? Où es-tu ?

Alex chercha son meilleur ami parmi la marée de visages qui l'entourait.

— Je suis là !

Nicolas agita frénétiquement la main, puis surgit de la foule pour prendre Alex dans ses bras.

— Tu es sain et sauf ! s'écria-t-il.

— Oui, oui, ça va…

— Que s'est-il passé ? On dit que tu es allé à la vallée des Dragons. On dit…

Soudain Nicolas se tut et s'écarta d'Alex, qu'il regarda bizarrement.

— Par les deux lunes de Zoriak ! Qu'est-ce qui t'est arrivé ? murmura-t-il en montrant le ventre de son ami.

Celui-ci baissa les yeux. Dans sa joie de revoir Nicolas, il n'avait pas remarqué que Zantor avait réussi à se faufiler entre eux, et

s'était fourré la tête sous sa tunique ; ainsi, Alex ressemblait à une bête à quatre pattes et à queue bleue sur le point d'accoucher.

Il se mit à rire malgré sa peur.

— Veux-tu sortir de là, chuchota-t-il en tirant et poussant la tête de Zantor.

— *Rrronk*, répondit le petit dragon.

Il se blottit entre les jambes du garçon et rentra la tête sous sa tunique.

Tout rouge, Alex sourit à Nicolas.

— C'est un… un dragon. Il croit que… que je suis sa mère.

— Un quoi ?

Nicolas recula encore d'un pas.

— Tout va bien, s'empressa de dire Alex. Il est inoffensif. Regarde !

Délicatement, il fit sortir le dragon de son abri et l'encouragea à se retourner.

— C'est bien, reste gentil, murmura-t-il en caressant la tête noueuse.

— ALEX !

Le petit garçon sursauta et le dragonnet se réfugia à nouveau sous la tunique de son ami. La foule s'était écartée, et Alex vit que son père et le Chef des anciens attendaient sur la place du village.

— Amène la bête ! s'écria son père.

La gorge d'Alex se serra.

— Il faut que j'y aille, dit-il nerveusement à Nicolas. Je te raconterai plus tard.

Il se dépêcha d'avancer, traînant le bébé
dragon derrière lui.

CHAPITRE III

Alex affronta le regard sévère du Chef des anciens et débita toute son histoire — comment il avait trouvé le nouveau-né et l'avait ramené dans la vallée des Dragons, comment il s'était lié d'amitié avec une Grande Bleue, et, enfin, comment il s'était interposé entre les dragons et l'expédition des Zorians afin d'éviter un combat.

À la fin de son récit, Alex était hors d'haleine.

— Les dragons nous ont laissés partir sans nous faire de mal. Vous comprenez ? Ils ne voulaient pas se battre. Ils n'aiment pas cela. Quand ils le font, c'est uniquement pour protéger leurs petits.

Le regard implacable du Chef ne faiblit pas. Si ces nouvelles le surprenaient, il ne le montrait pas. Autour d'eux, les villageois avaient formé un cercle compact, et parlaient à voix basse en attendant la réaction de leur Chef. Dans le ciel de Zoriak, le soleil dardait ses rayons violets, et des gouttes de sueur commencèrent à perler dans le cou et le long du dos d'Alex.

Soudain, le petit garçon sentit des chatouillis entre ses omoplates. Il se tortilla et s'efforça de les ignorer, mais cela recommença. Toujours caché dans la tunique d'Alex, Zantor s'était mis à lécher de sa langue râpeuse les gouttelettes de sueur salée. Alex se trémoussa à nouveau en essayant de garder son sérieux. En vain ! Plus il s'agitait, plus la petite langue travaillait. À la fin, Alex craqua ; il s'écroula par terre en se tordant de rire et en lançant des coups de pied dans le vide, pour échapper à la langue chatouilleuse. Mais plus Alex riait, plus Zantor trouvait le jeu amusant, et dès qu'Alex se libérait, le petit dragon bondissait avec jubilation, à la recherche d'un autre coin de peau à titiller. Et de rouler dans la poussière, de rire et de se racler la gorge, de se tortiller et de se chatouiller, jusqu'à ce qu'ils s'arrêtent, trop épuisés pour faire un mouvement.

Alex était allongé par terre à plat ventre, encore secoué de petits éclats de rire, essayant de reprendre son souffle, quand il aperçut la mer de bottes et de sabots autour de lui.

— Oh, oh, marmonna-t-il en se rappelant où il était et pourquoi.

Il roula lentement sur lui-même et leva les yeux.

Le regard du Chef des anciens était aussi dur que du granit et son père avait le visage écarlate, mais Alex remarqua avec soulagement que de nombreux villageois souriaient.

— Debout ! tonna le Chef.

Alex se releva et le dragon se précipita derrière lui pour se cacher une fois encore sous sa tunique. Le Chef plissa le visage de dégoût. Il s'adressa à deux gardes qui étaient à proximité.

— Emmenez la bête en prison !

— En prison ! s'écria Alex en protégeant le dragon de ses bras. Vous ne pouvez pas faire ça !

Le Chef des anciens fit un signe aux gardes, qui entreprirent d'encercler le garçon.

— Non. S'il vous plaît !

Alex se mit à tourner en rond aussi, pour rester entre le dragonnet et les gardes.

— Vous ne comprenez pas ! Il mourra de peur…

D'un mouvement brusque, l'un des gardes saisit Zantor par la queue.

— *Rrronk ! Rrronk !* hurla-t-il en plantant ses griffes dans le dos d'Alex.

— Aïe ! Arrêtez ! Pitié ! Il me griffe ! Aah !

Mais le garde continuait de tirer, le dragon d'enfoncer ses griffes, l'enfant de hurler. Enfin, Alex entendit sa mère crier :

— Erik ! Pour l'amour de Dieu, fais quelque chose !

Alors, le père d'Alex s'avança et poussa le garde qui en tomba à la renverse. Stupéfaits, les spectateurs retinrent leur souffle, mais Alex s'en aperçut à peine, tant il était occupé à se libérer des griffes du dragon affolé. Finalement, il réussit à faire sortir Zantor de sa tunique.

— C'est bon, Zantor, tout va bien. Je ne les laisserai pas t'emmener.

Zantor frissonna et nicha sa tête contre la poitrine du petit garçon.

Le père d'Alex tendit la main au garde pour l'aider à se relever, puis, le visage à nouveau écarlate, s'inclina devant le Chef des anciens.

— Mille pardons, Sire… commença-t-il.

— Silence ! Jetez-le aussi en prison !

Les gardes s'emparèrent d'Erik, mais avant qu'ils ne puissent l'emmener, la mère d'Alex se précipita vers eux et prit le bras de son mari. Vania et sa femme, Elsa, s'empressèrent d'en faire autant, suivis d'un autre couple. Bientôt tous les membres de l'expédition se tinrent bras dessus, bras dessous. Le père d'Alex eut l'air surpris, et profondément touché.

— Sire, dit-il, la voix ferme à présent, mon fils dit vrai. Ceux qui l'ont suivi dans la vallée des Dragons ont pu s'en rendre compte par eux-mêmes. Le temps est venu de parler.

CHAPITRE IV

On convoqua une réunion immédiate du Conseil des anciens, à laquelle le père d'Alex et Vania furent priés d'assister.

— Que va-t-il se passer, d'après toi ? demandèrent Alex et son frère Yann à leur mère en rentrant chez eux, Zantor sur leurs talons.

— Je ne sais pas, répondit-elle simplement, nous verrons bien.

— Mais on ne peut rien faire en attendant ? dit Alex d'un ton suppliant.

— Si. Nous pouvons nous occuper de la maison. Dieu sait que nous l'avons négligée assez longtemps.

Zantor marcha sur le pied d'Alex qui manqua de perdre l'équilibre. Il se retourna et lui lança un regard furieux ; le dragon le heurta à nouveau. Cette intimité commençait à taper sur les nerfs d'Alex.

— Tu es obligé de me marcher sur les pieds ? dit-il sèchement.

Le petit dragon le regarda d'un air étonné, puis — *fouit* — sortit sa langue fourchue et lui chatouilla les lèvres d'un baiser.

Alex leva les yeux au ciel, et Yann et sa mère éclatèrent de rire. Alex ne put s'empêcher de les imiter, et Zantor, tout joyeux, exécuta une petite gigue à pas chassés.

— C'est ça, dit Alex au dragon. Exerce-toi à être mignon. Tu auras besoin de tout ton savoir-faire quand papa reviendra et verra qu'on t'a ramené à la maison.

— Écoute, dit sa mère, je ne vois pas ce qu'on pouvait faire d'autre, à part l'envoyer chez Vania et Elsa.

Le sourire d'Alex s'effaça et il soupira.

— Justement, papa aurait peut-être préféré cette solution.

La maman d'Alex lui entoura les épaules de son bras et lui dit :

— Ne crois pas cela une seule seconde. Même s'il est inquiet et déboussolé, ton père t'aime toujours beaucoup.

— Assez pour supporter un dragon dans la famille ?

La mère d'Alex caressa les petites bosses de corne sur la tête de Zantor.

— Mais oui, je pense… Avec le temps.

— Avec le temps ? (Alex fronça les sourcils.) Mais qu'est-ce que nous allons faire là, tout de suite ? Papa va bientôt revenir.

Ils étaient arrivés chez eux, et après avoir poussé la porte du jardin, la maman d'Alex examina la cour négligée et en désordre.

— Nous allons nous mettre au travail, dit-elle.

CHAPITRE V

Heureusement, la plupart des yacks avaient eu des petits à allaiter, et n'avaient pas souffert de l'absence de traite. En revanche, les œufs de zok[1] s'étaient accumulés et commençaient à sentir mauvais. Les zoks piaillèrent d'un ton réprobateur quand Alex et Yann prirent les œufs dans leurs nids.

— *Rrronk, rronk*, s'écria Zantor lorsque les garçons sortirent du poulailler, deux paniers remplis d'œufs de zok puants à la main.

Ils les transportèrent près de la rivière, puis revinrent chercher des pelles. À leur retour, Zantor avait déjà creusé un grand trou et y avait déposé les œufs. Les enfants l'observèrent reboucher le trou proprement.

---

1. Sorte de poule de Zoriak. *(N.d.T.)*

— Waouh, s'exclama Yann, c'est drôlement pratique de l'avoir avec nous.

— Je te l'avais dit. Imagine tout ce qu'un dragon adulte pourrait faire. Il pourrait labourer un champ en un rien de temps !

— Ou percer des tranchées d'irrigation, répondit Yann pensivement.

— Aider dans les mines de zantinium[1].

— Nous creuser un trou pour la baignade, ajouta Yann, les yeux brillants.

Les deux frères avaient toujours rêvé d'avoir leur baignade à eux.

— C'est sûr, dit Alex. On n'aurait qu'à les nourrir.

À présent, les enfants avaient ramassé leurs pelles et se dirigeaient vers l'enclos.

— Les nourrir ? (Yann plissa le front.) Tu as vu comme ils deviennent gros ?

— Évidemment. Mais avec leur aide, on pourrait cultiver suffisamment de légumes.

Yann avait toujours l'air sceptique.

1. Minerai que l'on trouve dans le sous-sol de Zoriak. *(N.d.T.)*

— Tu veux voir autre chose ? dit Alex.

Il ramassa quelques brindilles et les déposa en tas par terre. Aussitôt, Zantor se mit à chercher d'autres bouts de bois et à les ajouter à la pile. Quand il y en eut assez pour faire un feu de camp — *whoush* —, le petit dragon cracha une langue de feu et enflamma le tout.

— Waouh, répéta Yann.

— Ça, ce n'est rien, dit Alex, et, pour la énième fois, il évoqua l'histoire de son voyage aérien dans la poche d'une Grande Bleue, au-dessus de la vallée des Dragons.

Il vit que Yann commençait seulement à le croire. Alex sourit en pensant qu'à sa place, lui aussi aurait été incrédule.

— Ça n'a rien de commun avec ce qu'on connaît déjà, Yann, dit Alex d'un ton mélancolique. Les dragons sont des créatures extraordinaires !

Yann fixa son frère un instant, puis détourna le regard.

— Qu'est-ce qui ne va pas ?

— Rien, répondit Yann.

— Mais si, je le vois bien. Allez, dis-le-moi, Yann, s'il te plaît.

D'un coup de pied, Yann envoya un bout de bois dans le feu, puis enfouit ses mains dans ses poches.

— Il y a que… écoute, il y a quelques jours, j'étais un héros, un Archer. Maintenant j'ai l'impression d'être un assassin. Tu as tout changé, Alex. Je ne sais plus qui je suis.

SPLASH !

Un œuf de zok vola au-dessus du mur de l'enclos et toucha Alex en plein front.

SPLASH ! SPLASH ! Alex, Yann et Zantor furent bombardés par une pluie d'œufs de zok pourris.

— Traîtres ! Chouchous des dragons !

Alex et Yann essayèrent de se protéger, mais les œufs arrivaient trop vite. Les jaunes gluants leur dégoulinaient dans les yeux et les aveuglaient. L'odeur les suffoquait. Soudain ils entendirent un son étrange, entre *rrronk* et *grrok*, suivi de cris effrayés et de bruits de course, et le bombardement s'arrêta.

Alex s'essuya les yeux et regarda ce qui se passait. Perché sur le mur de l'enclos, ailes déployées, toutes griffes dehors, crachant des flammes, le dragonnet était en position de combat.

Les garçons se précipitèrent vers le mur juste à temps pour apercevoir une bande de jeunes Zorians qui s'enfuyaient en escaladant la colline la plus proche.

— Waouh, dit Yann en regardant Zantor avec un respect mêlé de crainte, je ne savais pas qu'il possédait ce don. Tu l'avais déjà vu agir ainsi ?

Alex ne répondit pas. Il regardait toujours en direction des fuyards.

— Alex, qu'est-ce qu'il y a ?

— J'en ai reconnu un, dit Alex calmement. C'était Nicolas.

CHAPITRE VI

— Essaie de comprendre, dit Yann ; j'aurais probablement fait la même chose il y a une semaine. Et toi aussi, avoue-le.

Alex essuya la dernière trace d'œuf pourri de son visage, puis se plongea une nouvelle fois la tête dans l'eau. Il savait que Yann avait raison. Les garçons de Zoriak passaient des années à s'entraîner pour leurs chasses aux dragons. Ne serait-ce que la semaine dernière, lui-même aurait été fou de rage si on avait décrété qu'elles étaient supprimées. Il pataugea vers la berge en s'ébrouant. Yann lui envoya une serviette.

— D'accord, admit Alex, mais je n'aurais jamais fait une chose pareille à Nico. Jamais. Il ne m'a même pas laissé m'expliquer.

— Ce n'était peut-être pas lui. Après tout, tu ne l'as vu que de dos.

— Ouais, tu as sans doute raison.

Cela le réconfortait un peu de faire semblant d'y croire.

Zantor batifolait toujours dans la rivière, et sur la berge, les deux garçons l'observèrent un moment, perdus dans leurs pensées.

— Rien ne marche comme prévu, dit Alex. Je pensais que tout le monde serait content, qu'il n'y aurait pas de problème.

— Moi, je savais que cela ne serait pas facile, répondit Yann, mais c'était la seule chose à faire.

Alex regarda son grand frère d'un air ébahi.

— Tu le penses vraiment ?

— Mais oui, dit Yann en lui donnant une tape sur l'épaule.

Il sourit devant l'étonnement d'Alex.

— J'ai même entendu Vania dire à papa que tu avais l'étoffe d'un grand chef.

— Il a dit ça ?

Yann hocha la tête et Alex réfléchit un instant en silence.

— Et papa, qu'est-ce qu'il a répondu ?

Yann évita le regard de son petit frère.

— La cloche du dîner, annonça-t-il, visiblement heureux de pouvoir changer de sujet. Dépêche-toi d'aller t'habiller.

Les garçons enfermèrent Zantor dans la grange avec un tas de barlises et la promesse de revenir bientôt. À leur grande surprise, le dragon ne protesta pas. Il semblait sentir qu'il était chez lui à présent.

Leur père était déjà dans la cuisine. Son visage était sinistre et le cœur d'Alex se serra. Il mourait d'envie de demander ce qui s'était passé à la réunion, mais il avait la gorge nouée.

Yann ouvrit la bouche, et fut arrêté par un regard de sa mère.

— Laisse ton père dîner, dit-elle. Ensuite, nous parlerons.

Ils mangèrent en silence. Alex et Yann échangeaient des coups d'œil inquiets devant l'air sombre de leur père. Enfin, Erik repoussa son assiette et alluma sa pipe. Il aspira longuement avant de souffler une longue colonne de fumée.

— La bête est chez Elsa ? demanda-t-il.

Alex regarda nerveusement Yann et sa mère et bredouilla :

— Nnnon… Il ne voulait pas aller avec elle. Il est dans la grange.

Comme s'il s'attendait à cette réponse, le père eut une mimique fatiguée et continua à fumer sa pipe en silence. À la fin, Alex n'y tint plus.

— Qu'est-ce que le Conseil a décidé ? Qu'est-ce qu'ils ont voté ?

— Le Conseil a voté la mise à mort de la bête.

Un cri de protestation se forma aussitôt sur les lèvres d'Alex, mais son père le fit taire d'un signe.

— Je n'ai pas terminé.

Obéissant, Alex baissa la tête et son père poursuivit.

— Vania et moi avons convaincu le Conseil que la bête méritait une mise à l'épreuve.

Alex écarquilla les yeux d'étonnement.

— Tu as fait ça ?

— Oui.

— Mais pourquoi ? Je croyais…

Erik aspira encore une longue bouffée de tabac.

— Je suis un homme juste, dit-il (et après un sourire à sa femme), même si je ne suis pas toujours très souple.

La mère d'Alex prit la main de son mari.

— Les deux sont vrais, dit-elle en faisant un clin d'œil à son fils.

Le grand poids qui écrasait la poitrine d'Alex depuis quelques jours commença à se dissiper, mais Yann avait encore l'air soucieux.

— À quel genre de mise à l'épreuve les anciens pensent-ils ? demanda-t-il.

— C'est très simple. La bête peut rester parmi nous tant qu'il n'y a pas de problème.

— Et s'il y a un problème ?

Le père regarda sa femme et ses fils, puis baissa les yeux.

— Dans ce cas elle sera mise à mort, dit-il calmement, ainsi que Vania et moi.

CHAPITRE VII

Assis sur une balle de zorfoin[1], Alex regardait Zantor qui essayait de se percher sur une stalle de yack à la manière d'un zok. Visiblement, le dragonnet faisait de son mieux pour distraire Alex, mais celui-ci n'avait pas le cœur à rire.

« Comment cela est-il possible ? se demandait-il, comment un acte d'amour et de compassion peut-il se transformer en cauchemar ? »

— Ce n'est pas juste, s'écria-t-il, ce n'est vraiment pas juste !

— Qu'est-ce qui n'est pas juste ?

1. Le foin de Zoriak. *(N.d.T.)*

Alex se retourna et vit son père sur le seuil de la grange. Il se tourna à nouveau, se retenant de pleurer de toutes ses forces.

— Rien, dit-il doucement.

Soudain Alex sentit une main sur son épaule.

— Je peux m'asseoir ?

Alex leva les yeux vers son père et les larmes inondèrent son visage.

— Oh, papa, murmura-t-il, je te demande pardon.

Le père d'Alex s'assit à côté de lui, les coudes sur les genoux, les mains jointes et crispées.

— Non, mon fils, c'est moi qui te demande pardon.

— Toi ? protesta Alex, mais son père lui fit signe de se taire.

— Écoute-moi, ordonna-t-il.

Alex s'essuya les yeux et obéit.

— J'ai été injuste envers toi. En fait, ce n'est pas à toi que j'en voulais, mais à moi.

L'enfant dévisagea son père avec stupéfaction.

— Mais pourquoi ?

Erik se passa la main sur le front d'un air las.

— Parce que au fond de moi je connais depuis longtemps la vérité sur les dragons, sans vouloir l'accepter.

Bouche bée, Alex n'en croyait pas ses oreilles. Son père secoua la tête comme s'il était en colère contre lui-même.

— Autrefois, quand les Crocs Rouges et les Pointes Pourpres rôdaient dans la vallée des Dragons, nos pères étaient de grands guerriers, dont la bravoure protégeait les familles. Par leurs exploits, ils méritaient les places d'honneur dans notre société. Ils se battirent jusqu'à la disparition des Rouges et des Pourpres.

Il se tut ; Alex le regardait, tout perplexe.

— Et ensuite ?

— Qu'est-ce qu'un guerrier sans guerres ? demanda le père en soupirant. Alors, tous les dragons devinrent nos ennemis. Les Cornes Vertes, les Crêtes Jaunes, les Grands Bleus… Quelle importance s'ils ne s'étaient jamais approchés de nos villages, s'ils n'étaient même pas carnivores ? Pour devenir un héros, il faut avoir un ennemi à vaincre.

Pendant ce temps, Zantor était arrivé à ses fins, et les regardait fièrement, tel un zok bleu géant. C'était un spectacle si comique qu'Alex en aurait ri s'il n'avait pas eu le cœur si gros.

— À cette époque, ce n'étaient que des mensonges, dit-il ; tous ces entraînements, tous ces combats, toutes ces morts…

— Oui, et voilà pourquoi ce que tu as fait est si dangereux.

— Dangereux ? répéta Alex.

— Vois-tu, notre petite société est construite autour de ce mensonge, et ceux qui en ont le plus profité vont livrer un combat acharné pour cacher la vérité.

— Tu veux dire… le Conseil des anciens ?

— Oui, dit le père.

— Mais comment peuvent-ils faire cela ?

— Comme ils l'ont toujours fait, mon fils. En s'arrangeant pour que le mensonge ait l'air vrai, si vrai qu'ils y croiront eux-mêmes.

— Ils pourront y arriver ?

Soudain, ils entendirent un grand remue-ménage dans la cour, suivi d'un concert de voix furieuses.

Le père d'Alex se figea.

— On ne va pas tarder à le savoir, murmura-t-il.

— Erik ! lança une voix tonitruante. Erik de Zoriak, montre-toi !

CHAPITRE VIII

Un garde s'empara d'Erik dès qu'il sortit de la grange avec son fils. On lui enchaîna les bras derrière le dos avant de le pousser vers Vania, enchaîné lui aussi. Au centre de l'enclos où s'étaient rassemblés de nombreux villageois, se tenait le Conseil des anciens.

— Que se passe-t-il ? s'écria Alex. Qu'allez-vous faire de mon père ?

— Silence ! tonna le Chef des anciens. Où caches-tu la bête ?

— La bête ?

Alex avait si peur que pendant un instant il ne comprit pas ce que le Chef voulait dire.

— Ne fais pas l'idiot ! Nous savons…

Mais il ne put finir sa phrase, car au même moment un zok sortit de la grange en se pavanant, suivi de près par Zantor, qui se pavanait aussi, dans le numéro d'imitation le plus débile qu'Alex ait jamais vu.

Cela n'amusa personne.

— Le voilà ! Attention ! Saisissez-vous de lui !

Des hurlements de frayeur retentirent de tous côtés, et en moins de temps qu'il ne faut pour le dire, Zantor fut emprisonné dans un filet métallique. On amena une cage de zantinium pour y enfermer la créature.

— *Rrronk ! Rrronk !* protesta-t-il.

Une fois le dragonnet sous les verrous et sans défense, un groupe d'enfants se mit à l'asticoter et à se moquer de lui, lui donnant des petits coups de bâton et lui lançant des pierres. Les *rrronk* se transformèrent alors en *grreuh* perçants, le dragon sortit ses griffes et commença à s'attaquer aux barreaux de sa cage en crachant du feu.

— Vous voyez ! cria une mère hystérique aux anciens. Qu'est-ce que je vous avais dit ?

Le Chef des anciens hocha lentement la tête. Son visage était grave, mais on voyait bien qu'il était satisfait de la tournure que prenaient les événements.

C'est alors que la maman d'Alex surgit de la maison, suivie de Yann. Ce qu'elle vit l'affola.

— Que se passe-t-il ? s'exclama-t-elle. Qu'est-il arrivé ?

— Il semblerait, madame, expliqua le Chef des anciens, que la bête ait attaqué un groupe de garçons sans avoir été provoquée. Des amis de votre fils, je crois.

Alex ouvrit de grands yeux.

— C'est un mensonge !

— Un mensonge ?

Le Chef des anciens se tourna vers Alex. Il sourit calmement et claqua des doigts.

— Amenez les enfants, ordonna-t-il.

Deux mères s'avancèrent en compagnie de leurs fils, qu'Alex connaissait de vue.

— Vois par toi-même, dit le Chef.

Les deux gamins montrèrent à Alex leurs vêtements légèrement brûlés et leurs cheveux roussis. Le Chef lui lança un regard suffisant.

— Ce ne sont pas mes amis ! se récria Alex. Ils voulaient nous faire du mal, à mon frère et à moi. Zantor s'est contenté de nous défendre.

Sourd aux protestations du jeune garçon, le Chef hurla un ordre :

— Emmenez les prisonniers dans la salle du conseil ! Que les procès commencent !

CHAPITRE IX

Impuissant, Alex regardait Zantor se débattre et rugir dans sa cage, devant la salle du conseil. De temps en temps, le dragon poussait un nouveau cri, un *eeeiiiee !* qui transperçait les tympans. Pourtant, s'ils étaient reconnus coupables, Zantor serait la cible des archers, tandis qu'Erik et Vania mourraient sur le bûcher.

La mère d'Alex et Elsa essayaient désespérément de convaincre la foule de l'innocence des accusés, mais les garçons s'accrochaient à leur version terrifiante des faits, et les villageois étaient de leur côté.

Nerveusement, Alex et Yann faisaient les cent pas.

— Je dois agir, dit Alex. Je ne peux pas rester là à attendre.

— Tu ne crois pas que tu en as assez fait ? coupa Yann sèchement.

Alex s'arrêta et regarda son frère.

— Tu penses que c'est ma faute, Yann ? demanda-t-il, très calme.

— Oui… non.

Yann se couvrit le visage de ses mains.

— Je ne sais plus quoi penser. Je voudrais que tout ça ne soit qu'un mauvais rêve, qu'on se réveille un jour ordinaire, et qu'on aille tous pêcher comme avant, toi, moi, Ivan et Nicolas…

— Nicolas !

Alex saisit Yann par l'épaule et le regarda droit dans les yeux.

— Nicolas était avec eux, tu te souviens ? Il connaît la vérité !

Yann le fixa un instant, puis secoua la tête.

— Tu n'en es pas sûr, dit-il, et même s'il était avec eux, pourquoi dirait-il la vérité ?

Par-dessus l'épaule de Yann, Alex regarda Zantor et murmura :

— Je l'y obligerai.

Alex trouva son ami derrière chez lui, en train de lancer des flèches en l'air, pour passer le temps.

— Nicolas ! cria-t-il, Nico, il faut qu'on se parle !

Nicolas jeta un coup d'œil à Alex, fronça les sourcils, et détourna son regard. Il lança une autre flèche, et suivit des yeux son vol paresseux.

— Nicolas, écoute-moi !

Alex courut vers lui, l'attrapa par le bras et lui fit faire demi-tour.

Nicolas se dégagea en grognant.

— Hé, laisse-moi tranquille.

— Non, s'exclama Alex, tu dois m'aider.

— T'aider à quoi ? demanda Nicolas d'un ton renfrogné.

Alex le dévisagea.

— Tu n'es pas au courant ? Tu ne sais pas ?

— Je ne sais pas quoi ?

— Ils sont en train de juger mon père, cria Alex, et mon ami Zantor. Tu sais bien, le dragon féroce qui attaque les enfants sans être provoqué, ajouta-t-il sèchement.

Nicolas écarquilla les yeux, puis regarda ailleurs.

— Je... je ne sais pas de quoi tu me parles.

— Non ?

Alex fit tomber le chapeau de son ami et saisit une poignée de cheveux roussis.

— Alors, comment t'es-tu fait ça ?

Nicolas ne dit rien.

— Réponds-moi, Nico !

— Je… Je ne voulais aucun mal à ton père. Je ne visais que le dragon.

Alex lâcha les cheveux de Nicolas et lui rendit son chapeau. Il était furieux.

— Pourquoi ? Qu'est-ce qu'il t'a fait ?

Nicolas s'écarta et jeta son arc dans l'herbe.

— Il n'a pas sa place ici, s'écria-t-il. Tu ne vois pas qu'il change tout ? L'entraînement, les matches, les tournois, nos jeux d'adresse, tout ce qu'on fait depuis qu'on est petits ! Rien n'a plus d'importance maintenant.

Alex regardait l'arc qui gisait par terre entre eux. En y réfléchissant, il ne parvenait pas à détester Nicolas. Il comprenait trop bien ses sentiments. Au fond de lui, il savait qu'il aurait ressenti la même chose, auparavant.

Portée par le vent, une grande clameur leur parvint de la place du village. Il n'y avait plus de temps à perdre. Alex devait convaincre Nicolas tout de suite. Il ramassa l'arc, ainsi qu'une flèche qui traînait par là, l'encocha et inspecta la prairie. Assez loin, de l'autre côté, il repéra un jeune arbre pourpre. Cela ne serait pas facile de l'atteindre, mais Alex devait tenter le coup. Il banda l'arc, le dirigea vers le haut et tira. Il retint son souffle en suivant la trajectoire de la flèche qui monta haut dans le ciel, puis ralentit sa course et… toucha la cible ! Dieu merci, il avait bien visé.

Alex abaissa l'arc et regarda son ami. Nicolas était jaloux, cela se voyait.

— Tiens, dit Alex en lui tendant l'arc. Fais-en autant.

— Quoi ?

— Fais-en autant.

— Pourquoi ? demanda Nicolas, l'air intrigué.

— Parce que tu en meurs d'envie, avoue-le. Que tu combattes un jour un dragon ou pas, tu veux tirer, pour prouver que tu es aussi bon que moi. C'est ça qui est amusant, Nicolas, la compétition, pas le massacre. Vas-y, je te défie d'en faire autant.

Nicolas fixa son ami un long moment, puis sans dire un mot prit l'arc et sortit une flèche de son carquois. Lentement il se retourna, banda son arc et visa. À nouveau Alex retint son souffle tandis que la flèche décrivait un arc de cercle au-dessus de la prairie, montait, montait encore puis redescendait, jusqu'à…

— Ouais ! cria Nicolas, en lançant son chapeau en l'air.

Les deux amis s'embrassèrent dans un élan fraternel tandis que, de l'autre côté de la prairie, leurs flèches vibraient côte à côte.

CHAPITRE X

Alex s'attendait à un verdict de culpabilité, mais pas à ce qu'il vit en arrivant sur la place aux côtés de Nicolas. Les exécutions avaient commencé ! Son père et Vania étaient ligotés aux bûchers, et des archers se mettaient en place devant la cage de Zantor.

— Arrêtez, hurla Alex en essayant avec Nicolas de se frayer un passage à travers la foule. Arrêtez ! C'est une erreur !

Personne n'écoutait. Tout le monde s'en moquait. Les villageois étaient bien trop occupés à regarder le spectacle et à huer les condamnés.

— Arrêtez, répétèrent les enfants d'une même voix. Par pitié, écoutez-nous !

Alex se démenait comme un beau diable pour avancer, mais en vain. Il bouscula un gros homme qui le repoussa et l'envoya rouler dans la poussière. Le petit garçon se releva tant bien que mal, ramassa une pierre, et fit signe à Nicolas de le suivre. S'approchant le plus possible de l'estrade où trônait la cloche du village, il lança la pierre.

DING… ING… ING !

Tout le monde se retourna tandis qu'Alex se hissait sur l'estrade puis aidait son ami à le rejoindre.

— Arrêtez ! cria-t-il de toutes ses forces. C'est une erreur ! Il faut cesser les exécutions immédiatement !

Sur un signe du Chef des anciens, les gardes enflammèrent les tas de broussailles aux pieds des condamnés.

— NON ! Ces hommes sont innocents !

— C'est vrai, s'écria Nicolas. J'étais avec les garçons.

Il montra ses cheveux roussis, puis, tout honteux, baissa les yeux.

— Nous avons attaqué Yann et Alex, nous avons provoqué la bête !

Le silence se fit dans la foule. Puis quelqu'un cria :

— Il ment !

— Oui ! C'est sûr !

— Je ne mens pas ! C'est la vérité.

Il scruta les visages devant lui, et soudain, désignant ceux qui avaient accusé Zantor :

— Mark ! Erwann ! Dites-leur ! Cela va trop loin.

Tous les regards se portèrent vers les deux garçons. Mal à l'aise, ils se dévisagèrent un moment, avant de courber lentement la tête. La foule retint son souffle.

— Vous voyez ? s'exclama Alex. Ceux qui mentent sont ceux qui disent que les dragons sont nos ennemis ! Est-ce qu'ils attaquent nos villages et nos troupeaux ? Non ! Ils ne se battent que si on les agresse, ou si on les provoque !

Alex vit que la foule l'écoutait à présent. Il montra du doigt sa mère et Elsa.

— Le fils d'Elsa est mort, et le frère de ma mère aussi. Combien d'entre vous ont perdu un fils, un frère, un mari ou un père ?

Les villageois parlèrent entre eux à voix basse, et une main se leva, puis une autre, et encore une autre. Alex attendit que presque tout le monde ait levé la main.

— Regardez ! Regardez et décidez… Combien encore devront mourir pour un mensonge ?

Les têtes se tournèrent, les mains se baissèrent lentement, et les épaules s'affaissèrent de chagrin. Seules les plaintes stridentes de Zantor rompaient le silence pesant. Puis un autre cri de souffrance déchira l'air.

— Aaahh !

— Erik ! Vania ! Vite ! De l'eau !

La foule se ressaisit et les Zorians se mirent à courir en tous sens, mais le temps manquait. Les deux hommes se tordaient de douleur sous les flammes qui léchaient leurs jambes.

— *Eeeiiiee ! Eeeiiiee !*

Les hurlements de Zantor devinrent si aigus que les villageois durent se boucher les oreilles. Puis, sous les yeux ébahis d'Alex, la cage de Zantor se brisa en mille morceaux comme une coquille de cristal et le petit dragon s'éleva dans les airs. Il survola la place et atterrit dans le cercle enflammé. Un instant plus tard le dragonnet reprit son envol, ses petites ailes battant l'air furieusement. Il serrait les grands corps inertes de Vania et du père d'Alex dans ses pattes griffues.

Erik et Vania étaient assis à siroter du gloub[1] dans des chopes fumantes, leurs pieds bandés posés sur des chaises. Lové entre eux, Zantor dormait d'un sommeil réparateur, et le père d'Alex caressa affectueusement sa petite tête.

Le petit dragon remua et répondit par un *grumm* fatigué.

— Tu sais, Erik, dit Vania en souriant, je n'arrive toujours pas à croire que je suis assis là.

Le père d'Alex acquiesça en regardant son fils. Ses yeux brillaient d'amour et de fierté.

— Moi non plus, dit-il en secouant la tête, mais j'imagine que lorsque votre fils a l'étoffe d'un grand chef, tout est possible.

Alex sourit aussi, ému par les paroles chaleureuses de son père, mais un petit peu

1. Boisson favorite des hommes de Zoriak. *(N.d.T.)*

effrayé quand même. Il s'était rendu compte qu'être chef pouvait avoir des côtés plutôt terrifiants. Il le deviendrait peut-être un jour, mais pour l'instant, tout ce qu'il voulait, c'était vivre à nouveau comme un petit garçon, un garçon avec un dragon dans sa famille.

Si tu as aimé ce livre,

Tourne vite la page !

Du même auteur et dans la même collection

Touche pas à mon dragon !

Alex, neuf ans, ne rêve que de chasser et de tuer les dragons, ennemis de son peuple. Mais lorsqu'il se retrouve nez à nez avec un dragon orphelin, il est incapable de toucher à une seule écaille de l'innocente petite créature…

Je veux ton dragon !

Depuis que Zantor, le bébé dragon, vit au village de Zoriak, Alex s'amuse beaucoup. Il s'amuse tellement que Roxanna, la fille du chef des Anciens, voudrait bien avoir Zantor pour elle toute seule. Voilà qui risque de ramener la zizanie à Zoriak, et peut-être même les pires dangers.

Kid Pocket
a d'autres histoires à te proposer,

Tourne vite la page !

Des histoires pour rire

Les sœurcières
Roy Apps

Gégé et Lélé, les deux sœurcières grincheuses, sont au bout du rouleau. Depuis cent treize ans et quart, elles n'arrivent pas à concocter une potion vraiment diabolique ni à jeter un sort abominablement mauvais. Un jour, Gégé ouvre le journal et tombe sur l'horoscope de Madame Zaza Vamieux…

La culotte de la maman d'Albert
Peter Beere

La maman d'Albert a un cœur aussi gigantesque que… sa culotte ! Aussi, quand le toit de l'école des Falaises est emporté par une tornade, elle n'hésite pas à le remplacer par sa culotte. Mais le vent s'y engouffre et voilà l'école qui s'envole…

Le shérif à quatre pattes
Keith Brumpton

Il a mauvaise haleine, pour un rien il dégaine. Même les serpents en ont la trouille. Et les shérifs sont comme des nouilles ! À midi pile, le Putois et son gang des Pourris débarqueront à Trouille City. Comment la Gâchette, le shérif à quatre pattes, affrontera-t-il les plus sales bandits de tout le Far West ?

Bleurk et Mimi Sékotine
Bruce Coville

Bleurk a décidé de ne plus piquer de colères. Mais c'est super difficile : toute la classe l'asticote parce que le voir exploser, c'est franchement rigolo. Meuf Prof, la maîtresse, le tient à l'œil. Heureusement, Mimi Sékotine est là pour le tirer de tous les mauvais coups.

Sophie fait des histoires
Peter Härtling

Sophie a presque sept ans. Elle n'a pas la langue dans sa poche et avec elle on ne s'ennuie jamais. Il n'y a qu'à demander à Clément, son grand frère, à Madame Heinrich, sa maîtresse, ou à Catherine et Olivier, ses camarades de classe.

Tine Toeval se fait la malle
Guus Kuijer

Tine est complètement zinzin et adore faire le cochon pendu. Job ne sort jamais sans sa boîte à trésors et Bas, avec son nez qui coule tout le temps, rêve de vivre avec des animaux. Ils jouent tous les trois et se racontent des trucs jusqu'au jour où Tine lance une idée saugrenue : et si on se perdait ?...

Le chien qui souriait à l'envers
Jean-Marc Mathis et Dylan Pelot

Il était une fois un chien toujours de bonne humeur. D'un naturel joyeux, il souriait tout le temps... mais à l'envers. En le voyant, les gens l'évitaient. Ils avaient peur de lui. « Ce n'est pas ma faute, je suis né comme ça », expliquait le chien. Mais personne ne voulait l'entendre.

Lucie l'éclair
Jeremy Strong

Avec tout le bruit qu'elle fait et le désordre qu'elle sème sur son passage, elle ressemble à une vraie tornade. Sur terre comme dans les airs, depuis qu'elle a été frappée par la foudre, elle porte bien son nom : Lucie l'éclair.

Les folles aventures de Sir Rupert
Jeremy Strong

Pour servir la reine d'Angleterre et lui rapporter les pommes de terre qu'elle adore, Sir Rupert embarque sur son bateau, le Canard boiteux*. Il est suivi par un dangereux rival, Sir Sidney et se prépare à affronter la terrible femme pirate : Marie la Cinglée.*

Gertrude à l'école
Jeremy Strong

Mlle Pandemonium n'est pas une maîtresse comme les autres. Le jour où elle débarque à l'école, c'est la folie ! Ses élèves apprennent à faire voler les vélos, à se baigner sans se mouiller... c'est le bonheur, sauf pour M. le Directeur.

Géronimo
Jeremy Strong

Quelle pagaille ! La maison est sens dessus dessous, la famille est au bord de la crise de nerfs. Toutes les tentatives pour dresser Géronimo, la petite chienne fougueuse et fugueuse de Martin, échouent les unes après les autres. Que faire ?

Des livres plein les poches, **POCKET** *jeunesse* des histoires plein la tête

Des histoires pour se faire peur

L'homme au doigt coupé
Sarah Garland

Qu'est-il arrivé à l'homme au doigt coupé, le sinistre voisin de Clive ? Pourquoi a-t-il disparu ? Et que signifie l'envoi à l'école d'un mystérieux squelette à qui il manque un doigt ?

La chose du lavabo
Frieda Hughes

Comment faire un exposé sur son animal familier quand on n'en possède pas ? Peter se désespère jusqu'au jour où il découvre un locataire dans sa salle de bains : une chose gluante et indescriptible qui sort à la fois un œil du trou du lavabo et une main de celui de la baignoire…

Annie dans la valise
Pierre Louki

Annie, Jérôme et Nicolas doivent prendre le train tout seuls. Mais au moment de monter dans le wagon, Jérôme s'aperçoit qu'il a perdu son billet. Les enfants décident qu'Annie, la plus petite, voyagera cachée dans une valise…

Graine de fantôme
Nina Rauprich

Spoki pense que les vieux trucs de ses parents, Horronimo le revenant et Clapotine l'ondine, sont dépassés. Il décide de devenir un fantôme moderne et d'utiliser l'arme la plus efficace contre les humains : cette caisse magique appelée télévision. Gare à Spoki le Terrible, roi des téléviseurs hantés !

Petzi, chasseur de trolls
Carla et Vilhelm Hansen

Petzi et ses amis ne sont pas rassurés de savoir qu'un affreux troll se promène dans les bois et fait peur aux gens. Ils décident de l'attraper. Mais voilà, personne ne l'a jamais vu. À quoi ressemble-t-il ? De quelle taille est-il ? Prêts à tout, ils s'enfoncent dans la forêt. Soudain, ils entendent un hurlement.
« Houou !... »

La tache
Tessa Potter

Une tache suspecte apparaît sur la page d'un livre, et tous les élèves s'interrogent. Qui a bien pu faire ça ? Cette histoire en fait rigoler plus d'un au fond de la classe. Mais les rires vont se transformer en grincements de dents lorsque sont découvertes de nouvelles taches : à bien y réfléchir, elles ressemblent étrangement à du sang...

Des histoires d'Animaux

Wang, chat-tigre
Bernard Clavel

Wang est un adorable chat tigré, mais son maître le trouve trop petit. Le vété-rinaire propose donc de lui donner des fortifiants. Wang s'empresse d'avaler toute la boîte. Le lendemain, il se réveille transformé en tigre très joueur mais un peu encombrant !

Le lapin de pain d'épice
Randall Jarrell

Une maman a confectionné pour sa petite fille un lapin-gâteau vraiment pas comme les autres : la peur d'être mangé le pousse à fuir dans la forêt. La maman le poursuit. Quelle histoire !…

L'affaire Poupoune
Fanny Joly

Si Rosie est en train de passer le plus bel été de sa vie à la campagne, c'est bien grâce à Poupoune, la petite lapine des fermiers voisins. Et le jour où il faut rentrer à Paris, il n'est pas question que la petite fille abandonne son animal chéri.

Croquignote
Pierre Louki

Les souris en ont assez d'être terrorisées par le chat. Ce jour-là, réunies autour de Croquignote, elles étudient une idée un peu folle : devenir amies avec leur ennemi juré. Mais comment faire pour approcher l'animal ? C'est alors que Croquignote propose un plan de bataille tout à fait original…

Le petit cheval
Pierre Louki

Les enfants du village se sont attachés à Pompom, le petit cheval abandonné par un cirque ambulant. Pour empêcher qu'il ne soit vendu, et peut-être tué, ils décident de l'enlever et de le cacher. Mais comment le faire sortir du pré ? Où l'emmener ? Les petits voleurs ont bien des soucis !

On a piégé le mammouth
Jackie Niebisch

Quatre enfants des cavernes décident de chasser un mammouth, plutôt que de cueillir des baies et des noisettes. Le plus petit d'entre eux dit qu'il suffit de tendre un piège : on creuse un trou, le mammouth tombe dedans et on l'achève avec la lance. C'est tout.

Vincent, le chien terriblement jaune
Pierre Pelot et Dylan Pelot

Vincent, le chien très très jaune, n'a jamais l'air content. Il déteste la salade de nouilles, râle après les mouches, peste contre les jeux télévisés. Mais sous sa mauvaise humeur, il cache une âme d'artiste. Il n'a qu'une idée en tête : faire voir aux gens la vie en jaune et en couleurs.

Des histoires pour grandir

Les princesses ne portent pas de jeans
Brenda Bellingham

Avec sa drôle d'allure et son imagination délirante, Léa se moque de passer pour une folle et une menteuse auprès des enfants de sa classe. Le plus troublé c'est Jeff qui, lui, trouve Léa plutôt à son goût. Amie ou ennemie, son cœur balance…

La grand-mère aux oiseaux
Georges Coulonges

Brigitte s'est cassé la jambe. Elle est en convalescence chez sa grand-mère, à la campagne. La vieille dame, bourrue, parlant fort, vit seule dans sa ferme avec Pilou, le chat. Seule, pas tout à fait. Devant sa maison se trouve un arbre où les oiseaux se donnent rendez-vous.

L'enfant qui ne voulait pas grandir
Paul Eluard

Caroline est une petite fille heureuse : elle s'épanouit dans un jardin toujours plein de fleurs et de fruits. Mais un jour, aux actualités, elle voit des hommes s'entretuer. Caroline n'est plus la même. Les yeux tristes, elle répète : « Je ne veux pas grandir. » Pourtant, une nuit, après avoir relu son conte favori, Caroline fait un rêve…

Dur, dur, d'être un grand frère
Erica Frost

Jonathan a une petite sœur, Marie. Elle l'embête sans arrêt : elle pleure, elle crie, elle casse ses jouets. Et maman la défend toujours, Marie. Même le chien défend Marie. Trop c'est trop ! Jonathan décide de partir…pas pour de vrai !

C'est à cause de Grand-Père
Shirley Isherwood

Et un problème de plus pour Christophe : Grand-Père vient habiter à la maison, et il doit lui céder sa chambre. Il n'arrivera jamais à aimer ce vieil homme sans gêne, bruyant et autoritaire. Du moins le croit-il, jusqu'au jour où il fait une découverte inattendue…

Seuls dans la neige
Shirley Isherwood

Grand-père est parti chercher une brebis égarée dans la neige. Alice, huit ans, et son petit frère attendent, seuls, son retour. Mais la tempête fait rage et Alice commence à s'inquiéter…

La maison au fond du jardin
Guus Kuijer

Ce que Madelief aime dans la vie, c'est rigoler. Ce n'est pas toujours facile, surtout quand sa Grand-Mère meurt. Mais pourquoi sa mère ne pleure-t-elle pas ? Madelief perce ce mystère dans la petite maison du jardin de ses grands-parents.

Papa brûle les planches
Pierre Louki

Enfin, papa est devenu comédien. C'est l'occasion pour son fils de découvrir les coulisses du théâtre et d'y faire un jour une grosse bêtise qui sème la zizanie jusque sur la scène où se déroule la pièce.

Vous auriez pu me le dire
Hillary McKay

Nick ne veut plus que sa mère l'embrasse devant tout le monde quand elle l'emmène à l'école. À huit ans, il en a assez d'être pris pour un bébé. Alors il décide de réagir et de réclamer à ses parents un petit frère, ou deux ! Ou même trois ! Carrément !

Une vieille histoire
Susie Morgenstern

« Mémé, est-ce que tu aimerais être jeune encore une fois ? » Elle n'a pas besoin de réfléchir pour répondre. Sans aucune hésitation, elle dit : « Non, j'ai eu mon tour d'être jeune et maintenant c'est mon tour d'être vieille. J'ai eu ma part de gâteau et mon ventre est plein. »

Une copine pour Papa
Ulf Stark

Jules vit avec son papa. Papa travaille la nuit et Jules est souvent tout seul. Papa est distrait, ne sait pas s'occuper de la maison et Jules doit se débrouiller… Jean-Baptiste, le meilleur ami de Jules, pense que le papa de Jules devrait avoir une femme. Facile à dire…

Des histoires Magiques

Dix contes de loups
Jean-François Bladé

Savez-vous que les guêpes et les limaçons sont plus malins que les loups ? Que le renard est plus rusé ? Que l'oie, la poulette et le chat sont plus futés ? Voici dix contes du pays gascon qui vont mettre en déroute tout ce que vous pensiez savoir sur les loups.

Romarine
Italo Calvino

Romarine, Poirette, Pomme et Peau… autant de curieux personnages et de drôles d'histoires menées tambour battant par le grand écrivain Italo Calvino. Huit contes du folklore italien à savourer pour le plaisir de s'en laisser conter…

La sorcière du congélateur et autres contes du gobe-mouches
Alain Demouzon

En attendant de se marier peut-être un jour, Corentin et Clotilde se baladent dans un monde bien à eux. Corentin prétend qu'il a rencontré une princesse endormie dans le congélateur et Clotilde affirme avoir discuté avec un dragon affamé. Alors, qui osera leur dire qu'il est impossible de voler dans les nuages avec un chien jaune ?

Grain-d'Aile
Paul Eluard

Grain-d'Aile est si légère qu'il lui est très facile de sauter dans les arbres pour rejoindre ses amis les oiseaux. Mais ce qu'elle désire par-dessus tout, c'est voler avec eux. Un jour, l'écureuil lui propose de remplacer ses bras par des ailes.

La soupière et la cuillère
Michael Ende

Au royaume de droite, on célèbre le baptême de la princesse Praline, au royaume de gauche celui du prince Saffian. À la première, Serpentine Fofolle, la méchante fée, offre une soupière, au second une cuillère. L'un sans l'autre, les objets sont sans valeur. Réunis, ils ont un pouvoir magique…

Thé de sorcière et gâteau de roi
Bärbel Haas

Tous les mercredis après-midi, les sorcières vont prendre le thé chez Rosine. Celle-ci leur prépare son fameux thé à la bave de putois, des petits gâteaux et une belle tempête. Mais ce jour-là, un invité inattendu fait son apparition. Il a un gros problème à résoudre.

On t'aime beaucoup, poil au cou
Véronique M. Le Normand

Quand Basile se met en colère, la maison tremble, le poulet rôti se lève de son plat en criant « Cocorico » et mille autres choses extravagantes. Pourtant, Basile n'est pas malade. Sa grand-mère a une petite idée : « C'est de la magie ! » Évidemment, personne ne la croit !

Cha fait du bien quand cha ch'arrête
Véronique M. Le Normand

Quand Basile perd une dent, évidemment, il la cache sous son oreiller. Son idiot de grand frère se moque : « La petite souris, gni, gni, gni ! Pourquoi pas le gros éléphant, gnan, gnan, gnan ? » Basile est un peu inquiet : la petite souris passera-t-elle cette nuit ?

Tu as de beaux yeux, tu sais !
Véronique M. Le Normand

Basile est amoureux de Justine. Pour la séduire, il lui offre ses plus beaux pin's. Et voilà que cette jolie chipie les donne à ce crétin de Jonathan. Basile décide alors de se venger, mais sa mauvaise humeur lui joue un drôle de tour...